Faites la queue !

Tomoko Ohmura

Faites la queue !

Tiens, mais qu'est-ce qu'ils attendent tous ? Allons voir...

Bienvenue !
Les derniers arrivés
prennent la queue ici.

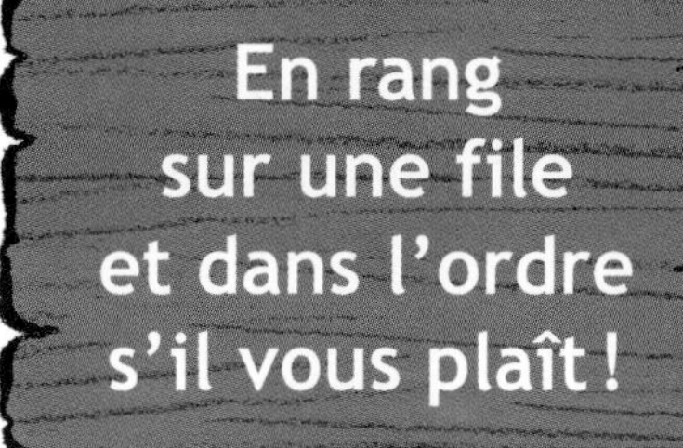

?

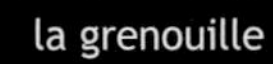

la grenouille

J'ai un tout petit peu peur...
Oui, moi aussi !
Et un... et deux...
Il y a un monde fou !
C'est pareil à chaque fois...
le lézard
n°49
la souris
n°48
la taupe
n°47
l'écureuil volant
n°46
l'écureuil
n°45
la tortue
n°44
le cochon d'Inde
n°43

Silence
dans les rangs !
Mais pourquoi faisons-nous la queue ?
Comment, tu ne le sais pas ?
Oh là là, quelle odeur !
Euh... c'est moi... désolée...
la belette
n°42
le hérisson
n°41
le lapin
n°40
le tatou
n°39
la mouffette
n°38
le porc-épic
n°37

Gardez votre place, s'il vous plaît !
J'ai gagné !
Regardez ! C'est le renard qui saute le plus haut !
Mais non, c'est le raton laveur !
Mais non, le renard !
le chat
n°36
le singe
n°35
le chien
n°34
le raton laveur
n°33

Pas encore !
Plus haut !
le renard
n°32
la loutre
n°31
le paresseux
n°30
le koala
n°29

Vous ne trouvez pas qu'on est trop serrés?
Il y a de la place devant!
C'est vrai, pourquoi vous n'avancez pas?
Moi, je voudrais bien, mais...
le castor
n°28
le chimpanzé
n°27
l'orang-outan
n°26
la chèvre
n°25
le cochon
n°24

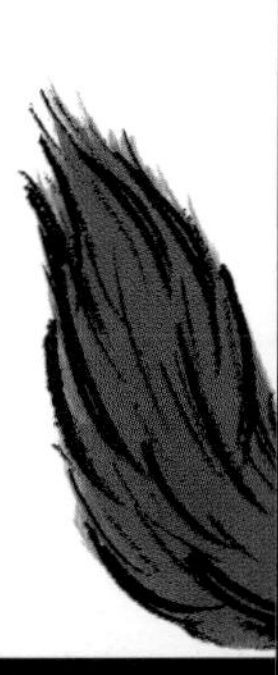

le mouton

n°23

le loup

n°22

le wombat

n°21

le sanglier

n°20

Encore un petit peu de patience !
Alors ? ça commence ?!
Un... deux... trois... coucou!
le kangourou (bébé)
n°19
la hyène
n°18

le panda

n°17

la vache

n°16

... cheval de course...
... course à pied...
le cerf
n°15
le gorille
n°14

... pied à terre...
... terre de feu...
la panthère
n°13
le tapir
n°12

... feu follet...
... lait de vache...
Euh... excusez-moi,
je ne trouve pas...
le phoque
n°11
l'ours
n°10

J'ai faim !
Roar !
Tenez, quelques algues,
si vous me permettez...
le lion
n°9
le zèbre
n°8

le tigre

Waaaa...
C'est pour aujourd'hui ou pour demain?
le chameau
n°6

Encore un petit instant !
Waaaa...
Arrête de bâiller, c'est contagieux!
le crocodile
n° 5

Je n'en peux plus!

le rhinocéros

Enfin, ce n'est pas trop tôt!
la girafe
n°2

Merci d'avoir attendu. Avancez, et surtout restez bien dans la file !
l'éléphant
n° 1

ouii

Attention au départ !

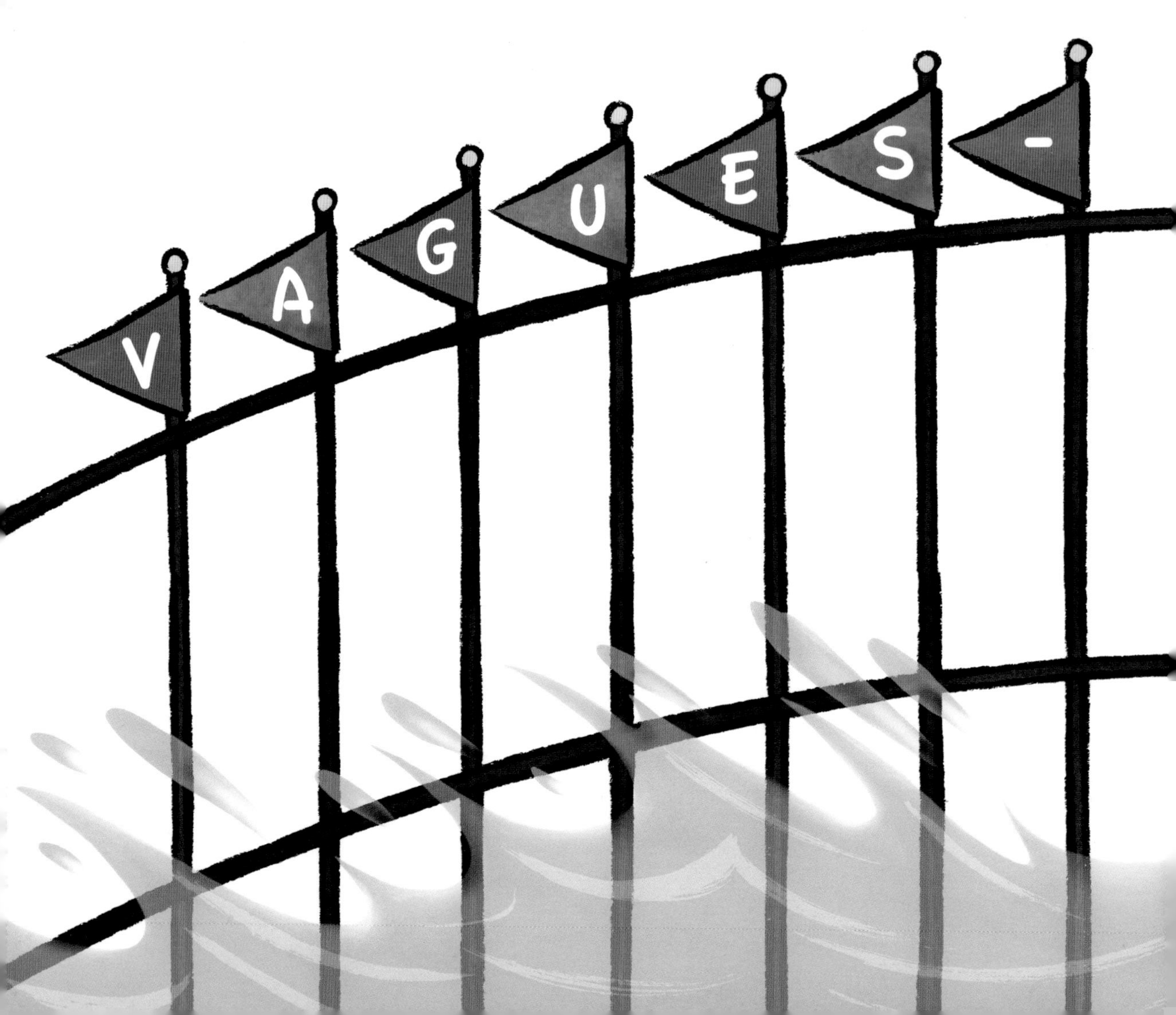
V A G U E S -

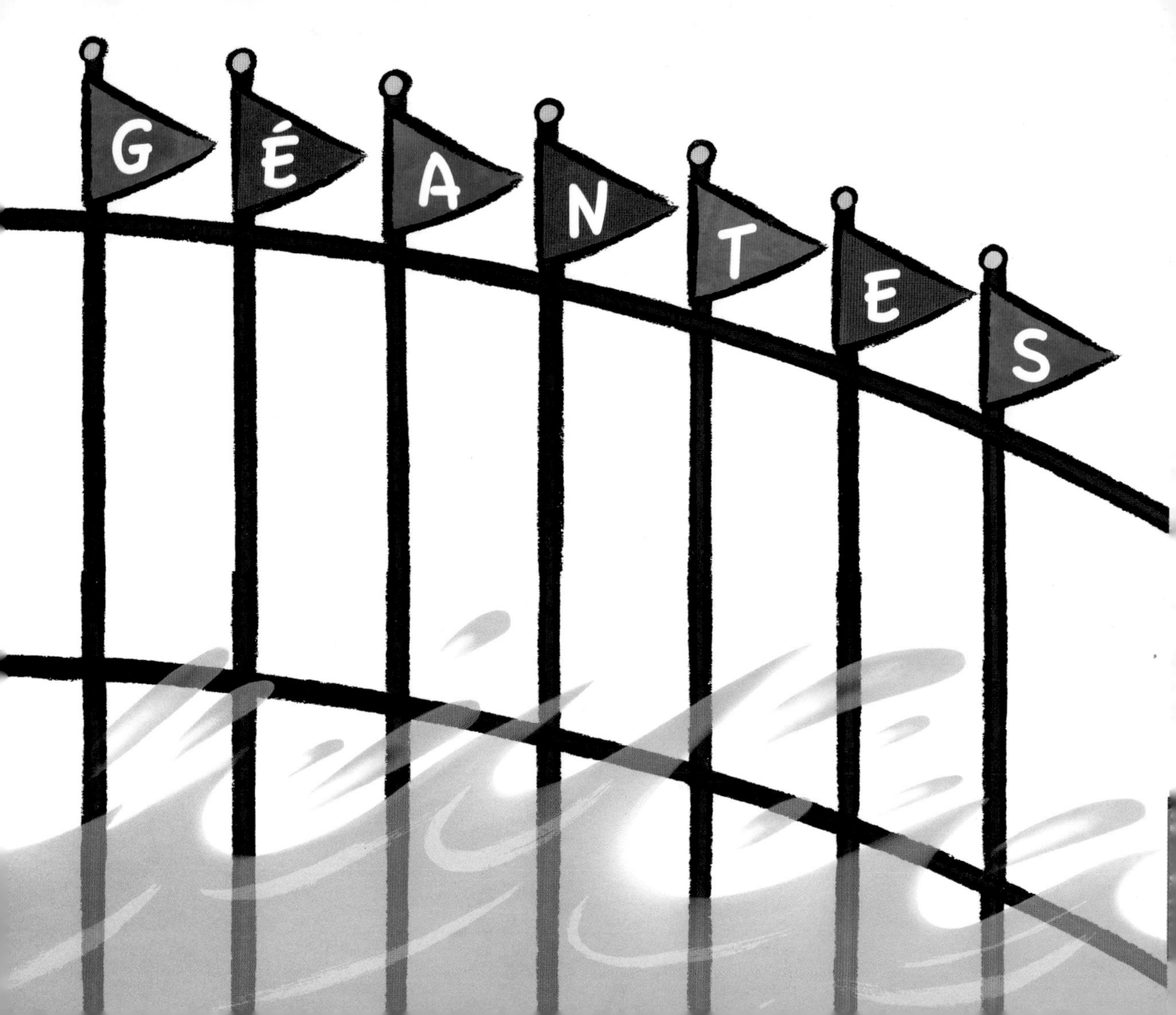
GÉANTES

Accrochez-vous !
Aaaah !

Iiiiiiiiiii!
Oohhhh!

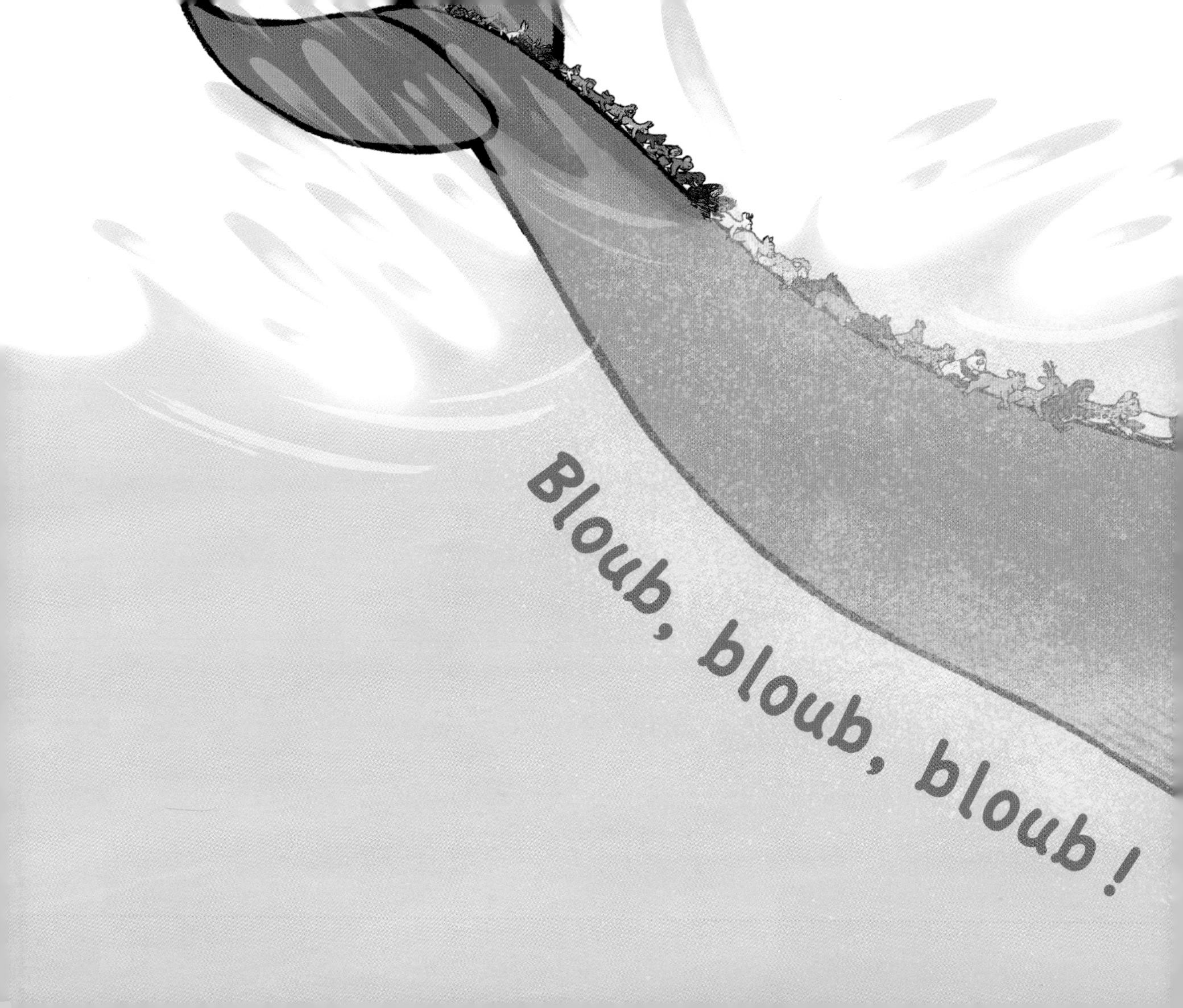

Bloub, bloub, bloub !

Et maintenant, on plonge !

SPL

Et voilà !
A S H

ARR

C'était formidable!

Cela valait vraiment la peine d'attendre!

Je voudrais recommencer!

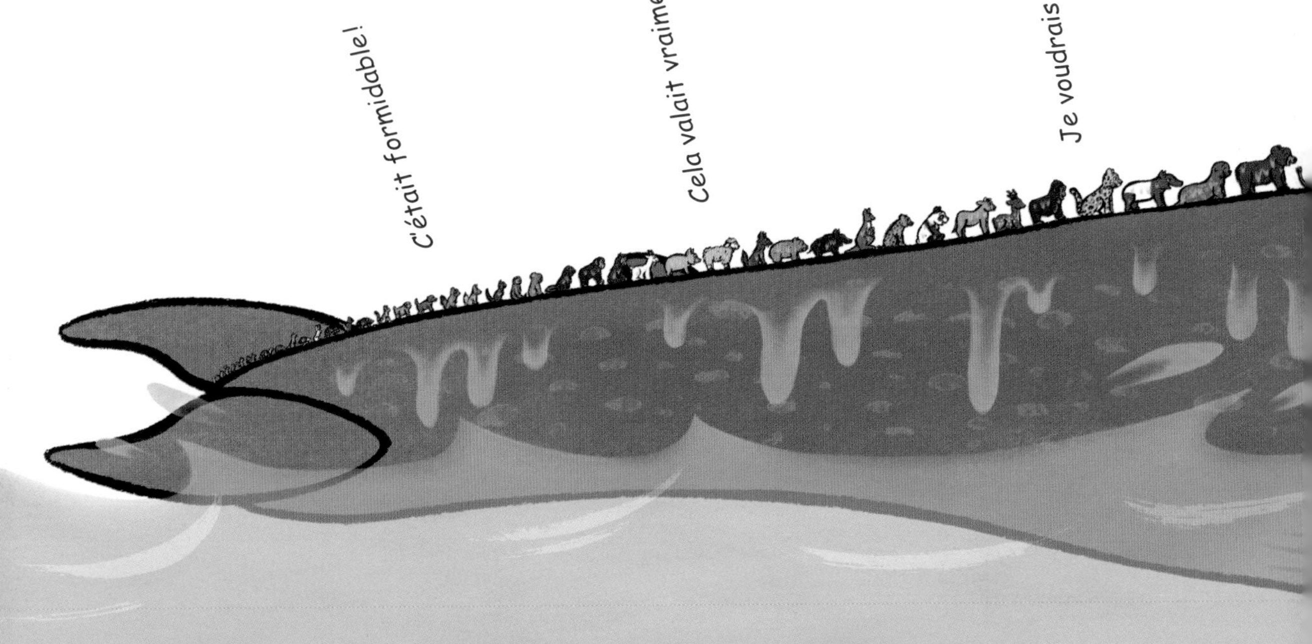

IVÉE

Quelles sensations!
On reviendra!
Attention à la marche en descendant.

Voilà, c'est fini pour aujourd'hui.

Les passagers d'aujourd'hui

1	l'éléphant	26	l'orang-outan
2	la girafe	27	le chimpanzé
3	le rhinocéros	28	le castor
4	l'hippopotame	29	le koala
5	le crocodile	30	le paresseux
6	le chameau	31	la loutre
7	le tigre	32	le renard
8	le zèbre	33	le raton laveur
9	le lion	34	le chien
10	l'ours	35	le singe
11	le phoque	36	le chat
12	le tapir	37	le porc-épic
13	la panthère	38	la mouffette
14	le gorille	39	la tatou
15	le cerf	40	le lapin
16	la vache	41	le hérisson
17	le panda	42	la belette
18	la hyène	43	le cochon d'Inde
19	le kangourou	44	la tortue
20	le sanglier	45	l'écureuil
21	le wombat	46	l'écureuil volant
22	le loup	47	la taupe
23	le mouton	48	la souris
24	le cochon	49	le lézard
25	la chèvre	50	la grenouille

le conducteur : la baleine
le guide : l'oiseau

Traduit du japonais par Jean-Christian Bouvier

ISBN 978-2-211-21147-5

Titre de l'édition originale « Nanno Gyôretsu ? » (Animal's Long Long Line)
(Poplar Publishing Co., Ltd., Japon, 2009)
Édition française publiée en accord avec Poplar Publishing Co., Ltd.
par Japan Foreign-Rights Centre
Loi numéro 49 956 du 16 juillet 1949 sur les publications
destinées à la jeunesse : avril 2011
Dépôt légal : février 2013
Imprimé en France par Pollina à Luçon - L63418